HISTOIRES DE TROLL

Traduit du suédois par Anne Cath Haugdahl

Illustrations: Rolf Lidberg
Texte: Jan Lööf

CAPPELEN

– Alors, maintenant, les enfants, je vais vous faire une leçon d’histoire, dit l’arrière-grand-père troll en ouvrant son grand livre d’histoire.

– Oh non, on ne veut pas de tes vieilles histoires, crièrent tous les enfants trolls. Tu pourrais plutôt nous en inventer une!

– Non, je ne peux pas, repondit l’arrière-grand-père. Mais bon, si vous préférez, nous pourrions au lieu étudier l’histoire contemporaine. Ce livre n’en dit rien, mais je pourrais essayer de me souvenir des épisodes qui se sont passés récemment.

– Laissez-moi réfléchir, dit le vieux grand-père. – Qu'est-ce qui c'est donc passé l'année dernière? Ben oui, le chahut de Pâques, vous vous en rappelez?
– Non, nous avons tout oublié, répondirent les enfants trolls. – Raconte, s'il te plaît!
– Et bien, les poules de la Ferme des Trolls furent tellement excitées quand les enfants venaient ramasser les oeufs. «Ne prenez pas tous les oeufs, sinon on n'aura pas de poussins», cria une des poules.
Mais personne ne comprit ce qu'elle disait. Car une poule qui parle, ce n'est qu'un caquètement aux oreilles des trolls.

– Je participais moi-même à la décoration des oeufs de Pâques. J'aime beaucoup cela. Mais les poules étaient très fâchées, comme je l'ai dit, et quand Mattis écrasa un oeuf sur la tête de son petit frère, ce fut le chaos général: Tous les enfants commencèrent à se jeter des oeufs, les poules crièrent à pleins poumons tandis que le coq, affolé de peur, battit les ailes. Ce n'était pas terrible pour un début de Pâques, mais évidemment, c'était drôle aussi!

Enfin l'été s'installa, et au début du mois de juin, Petit-Per et moi-même nous nous promenâmes au bois. Nous ne pretâmes pas attention aux élans et leurs nouveaux nés. Les élans femelles sont toujours très aggresives à cette période. Tout d'un coup une d'elles bondit sur nous, et nous fûmes obligés de nous cacher dans l'hallier. Mais comme nous désirions fortement regarder le faon, nous sortîmes prudemment de notre cachette afin d'admirer ce beau petit élan à la fourrure brune claire.

Au mois de juillet il était temps de faucher l'herbe. Moi, j'avais l'intention de participer à la moisson avec ma vieille faux à main, mais je dois admettre que je suis devenu un peu paresseux sur mes vieux jours. En m'apercevant la petite Lill-Fia qui dansait vers moi, je l'appela, et elle approuva mon idée d'esquiver la récolte. Alors, au lieu de travailler, nous jouâmes ensemble toute la journée.

Et si nous deux, nous étions un peu paresseux ce jour-là, les autres trolls par contre travaillèrent ardemment.
Troll-Oskar de la Colline se leva à l'aube pour la fauche. Mais sa vieille faux était emousse et tachée de rouille, par conséquent bonne à rien.
– Que faire, se demanda-t-il. Il n'est pas possible d'émoudre une faux tout seul. A ce moment Bjarne et la petite Ida apparurent.
– Nous pourrions bien t'aider, sourirent-ils, et ils se mirent à tourner la pierre à aiguiser de manière qu'Oskar puisse émoudre son outil.

Tous les trolls s'entraidaient à la fenaison. Moi, j'étais convaincu que personne ne faisait attention à mon absence, si bien que je ne me rendis pas compte de Maja-Stina qui venait servir du café et des brioches aux faucheurs. Elle me dénonca.

– J'ai vu Arrière-Grand-Père jouer avec Lill-Fia au champ de betails, raconta-t-elle, et Troll-Oskar éclata de rire, bien sûr.

– Dès que l'on travaille un peu, il se retire, ricana-t-il.

Oh-là-là, comme j'avais honte de cette histoire.

Les jours passèrent vite, et l'automne succeda à l'été.
«Les mûrons artiques au marais sont mûrs», nous annonça une voix un de ces beaux jours automnals.
Contrairement à l'airelle et la myrtille que l'on trouve un peu partout, le mûron artique est plus rare. Il faut donc connaître les endroits où ils poussent et faire attention. De temps en temps des hordes de trolls norvégiens y viennent pour la cuillette. En quelques heures seulement, nos marais sont vidés de ces baies jaunes. L'année derniere pourtant, il n'y avait que nous, les habitants de la Vallee de Troll, qui trouvâmes des mûrons artiques ici. Ainsi nous ramassâmes à volonté!

Personellement, je ne mange jamais de baie. En fait je n'aime que de pommes de terres bouillis. Mais puisque je me suis promené dans les parages toute ma vie, je connais les endroits où se cache chaque espèce de baie; les champs et les fôrets n'ayant plus de secrets pour moi. Je sais même où aller aux fraises des bois, et c'est pourquoi les enfants m'aiment tant, n'est-ce pas? Quand vous faites une promenade avec moi, vous êtes sûrs de trouver des fraises des bois!

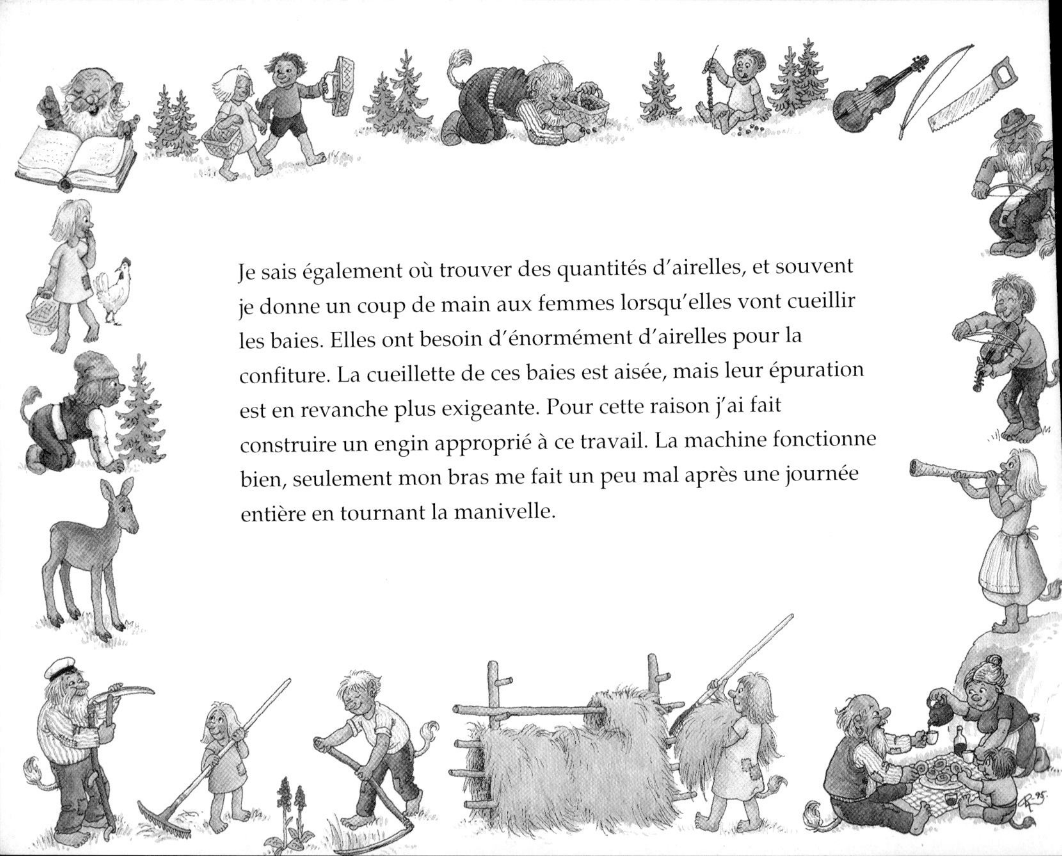

Je sais également où trouver des quantités d'airelles, et souvent je donne un coup de main aux femmes lorsqu'elles vont cueillir les baies. Elles ont besoin d'énormément d'airelles pour la confiture. La cueillette de ces baies est aisée, mais leur épuration est en revanche plus exigeante. Pour cette raison j'ai fait construire un engin approprié à ce travail. La machine fonctionne bien, seulement mon bras me fait un peu mal après une journée entière en tournant la manivelle.

L'automne nous sembla un peu mélancolique, mais nous trouvâmes nos instruments de musique pour nous distraire. Gunnar Bergsten qui habite l'éboulis, est spécialiste de scie. Il joue plutôt en mineur, et sa mélodie favorite est la berceuse: «Quand la mère troll a couché ses onze petits trolls». En conduisant l'archet sur la scie, il crée une ambiance magique parmi son public, tant qu'il envoûte tout le monde.

Le samedi soir on entendait de la musique partout dans la Vallée de Troll. Dans la montagne quand le temps était au beau fixe, sans vent, on pouvait entendre de la musique d'accordéons, mais aussi de violons, de clairinettes ainsi que du chant et du rire provenant de la vallée. Au loin, d'un autre sommet, on pouvait même entendre les sons d'un clairon d'écorce de bouleau.

On joue du clairon juste comme on sonne de la trompette, et le son s'entend à des dizaines de kilomètres, de façon que l'on puisse s'envoyer des messages à grandes distances.

Un samedi soir, la famille Trulsson avait grimpé jusqu'au sommet de Mont Cuivre, à partir duquel ils aperçurent un feu au Mont Lapon. Madame Trulsson, de nature curieuse, sonna donc un signal de son clairon.

Le Mont Lapon était plein de trolls ce soir-là. Malgré le vacarme qu'ils faisaient, ils entendirent sans problème la sonnerie du clairon du Mont Cuivre.
Jocke qui, lui aussi, porta son propre clairon, sonna quatre coups au retour, trois courts et un long. Son message disait: Nous faisons la fête! Venez nous joindre!

Et quelle fête! Tous les trolls de la Vallée de Troll y participaient. On jouait de la musique, chantait et racontait des histoires jusqu'à l'aube.